Die schönsten Märchen der Brüder Grimm

Inhalt

Aschenputtel

Hänsel und Gretel

Rotkäppchen

Das tapfere Schneiderlein

Dornröschen

Illustriert von
Svend Otto S.

Die schönsten Märchen der Brüder Grimm

Lappan

© SVEND OTTO S. 1973, 1978, 1979, 1982, 1983
FÜR DIE DEUTSCHE AUSGABE
©1984 LAPPAN VERLAG GMBH OLDENBURG
5. AUFLAGE DEZEMBER 1989
PRINTED IN PORTUGAL
ISBN 3-89082-017-4

Aschenputtel

Einem reichen Mann wurde seine Frau krank. Als sie fühlte, daß ihr Ende herankam,
rief sie ihr einziges Töchterchen zu sich ans Bett und sagte: »Liebes Kind, bleib fromm
und gut, so wird dir der liebe Gott immer helfen, und ich will vom Himmel auf dich
herabblicken und um dich sein.« Dann machte sie ihre Augen zu und starb.
Das Mädchen ging jeden Tag zum Grab der Mutter, weinte und blieb fromm und gut.
Als der Winter kam, deckte der Schnee ein weißes Tuch auf das Grab, und als die Sonne
im Frühjahr es wieder abgezogen hatte, nahm sich der Mann eine andere Frau.

Diese Frau brachte zwei Töchter mit ins Haus, die schön und weiß von Angesicht waren, aber böse und schwarz von Herzen. Für das arme Stiefkind fing eine schlimme Zeit an. »Soll die dumme Gans bei uns sitzen?« sagten die Schwestern. »Wer Brot essen will, muß es verdienen, hinaus mit der Küchenmagd!« Sie nahmen dem Mädchen seine schönen Kleider weg, zogen ihm ein graues altes Lumpenkleid an und gaben ihm hölzerne Schuhe. »Seht einmal die stolze Prinzessin, wie sie geputzt ist!« riefen sie, lachten und führten die Stiefschwester in die Küche.

Nun mußte das Mädchen von morgens bis abends schwer arbeiten, früh aufstehen, Wasser tragen, Feuer anmachen, kochen und waschen. Außerdem hatte es die Bosheiten der beiden Schwestern zu ertragen, die es verspotteten und ihm Linsen und Erbsen in die Asche schütteten, so daß es sitzen und sie wieder auslesen mußte.

Abends, wenn das Mädchen sich müde gearbeitet hatte, durfte es nicht in ein Bett, sondern mußte sich neben den Herd in die Asche legen. Und weil es deshalb immer staubig und schmutzig aussah, wurde es Aschenputtel genannt.

Eines Tages wollte der Vater zum Markt reiten und fragte die beiden Stieftöchter, was er ihnen mitbringen sollte. »Schöne Kleider«, sagte die eine, »Perlen und Edelsteine«, antwortete die andere. »Und du, Aschenputtel«, sagte er, was willst du haben?«
»Vater, den ersten Zweig, der Euch auf Eurem Heimweg an den Hut stößt, den brecht für mich ab.«
Der Vater kaufte für die beiden Stieftöchter schöne Kleider, Perlen und Edelsteine. Auf dem Rückweg mußte er durch ein Gebüsch reiten, da streifte ihn der Zweig eines Haselnußstrauches und riß ihm den Hut herunter. Der Vater brach den Zweig ab und nahm ihn mit.

Als er nach Hause kam, gab er den Töchtern, was sie sich gewünscht hatten, Aschenputtel dankte ihm, ging zum Grab der Mutter, pflanzte den Zweig darauf und weinte so sehr, daß die Tränen darauf niederfielen und ihn begossen. Der Zweig wuchs an und wurde ein schöner Baum. Aschenputtel ging jeden Tag dreimal zum Grab, weinte und betete unter dem Baum. Jedesmal zeigte sich ein weißes Vögelchen in den Zweigen. Und wenn Aschenputtel einen Wunsch aussprach, so warf ihm das Vögelchen herab, was es sich gewünscht hatte.

Nun geschah es aber, daß der König ein Fest geben wollte, das drei Tage dauern sollte und wozu alle schönen Mädchen im Lande eingeladen wurden, damit sich sein Sohn eine Braut aussuchen konnte. Als die Stiefschwestern hörten, daß auch sie auf dem Fest erscheinen sollten, waren sie guter Dinge. Sie riefen Aschenputtel und sagten: »Kämm uns die Haare, putz uns die Schuhe und mach uns die Schnallen fest. Wir gehen zum Fest auf des Königs Schloß!«

Aschenputtel gehorchte, weinte aber, weil es auch gern zum Tanz mitgegangen wäre, und bat die Stiefmutter, sie möchte es ihm erlauben. »Du, Aschenputtel«, sagte die Stiefmutter, »bist voll Staub und Schmutz und willst zum Fest gehen? Du hast keine Kleider und Schuhe und willst tanzen?« Als aber Aschenputtel nicht aufhörte zu bitten, sagte sie endlich: »Ich habe dir eine Schüssel Linsen in die Asche geschüttet. Wenn du die Linsen in zwei Stunden wieder ausgelesen hast, darfst du mitgehen.« Das Mädchen ging durch die Hintertür in den Garten und rief: »Ihr zahmen Täubchen, ihr Turteltäubchen, all ihr Vögelchen unter dem Himmel, kommt und helft mir auslesen!

      Die guten ins Töpfchen,
      die schlechten ins Kröpfchen!«

Da kamen zum Küchenfenster zwei weiße Täubchen herein und danach die Turteltäubchen, und endlich schwirrten und schwärmten alle Vögelchen unter dem Himmel
herein und ließen sich um die Asche nieder. Und die Täubchen nickten mit den
Köpfchen und fingen an pik, pik, pik, pik und taten alle guten Linsen in die Schüssel.
Kaum war eine Stunde herum, da waren sie schon fertig und flogen alle wieder hinaus.
Das Mädchen brachte die Schüssel der Stiefmutter, freute sich und glaubte, es dürfte
nun mit zum Fest gehen. Aber die Stiefmutter sagte: »Nein, Aschenputtel, du hast
keine Kleider und kannst nicht tanzen. Du wirst nur ausgelacht!«
Als Aschenputtel nun weinte, sagte sie: »Wenn du mir zwei Schüsseln voll Linsen in
einer Stunde aus der Asche ausliest, dann darfst du mitgehen.« Und sie dachte:»Das
kann Aschenputtel nicht schaffen.«

Als die Stiefmutter die zwei Schüsseln Linsen in die Asche geschüttet hatte, ging das Mädchen durch die Hintertür in den Garten und rief: »Ihr zahmen Täubchen, ihr Turteltäubchen, all ihr Vögelchen unter dem Himmel, kommt und helft mir auslesen!

Die guten ins Töpfchen,
die schlechten ins Kröpfchen!«

Da kamen zum Küchenfenster zwei weiße Täubchen herein und danach die Turteltäubchen, und endlich schwirrten und schwärmten alle Vögelchen unter dem Himmel herein und ließen sich um die Asche nieder. Und die Täubchen nickten mit ihren Köpfchen und fingen an pik, pik, pik, pik, und da fingen die übrigen Vögelchen auch an pik, pik, pik, pik und taten alle guten Linsen in die Schüsseln. Und bevor eine halbe Stunde herum war, waren sie schon fertig und flogen alle wieder hinaus.

Das Mädchen brachte die Schüsseln zur Stiefmutter, freute sich und glaubte, es dürfte nun mit zum Fest gehen. Aber die Stiefmutter sagte: »Es hilft dir alles nichts, du kommst nicht mit, denn du hast keine Kleider und kannst nicht tanzen. Wir müßten uns deiner schämen.« Dann drehte sie Aschenputtel den Rücken zu und eilte mit ihren zwei hochnäsigen Töchtern davon.

Als nun niemand mehr daheim war, ging Aschenputtel zum Grab seiner Mutter unter dem Haselnußbaum und rief:

»Bäumchen, rüttel dich und schüttel dich,
wirf Gold und Silber über mich!«

Da warf ihm das Vögelchen ein goldenes und silbernes Kleid herunter und mit Silber und Seide ausgestickte Pantoffeln. In aller Eile zog Aschenputtel das Kleid an und ging zum Fest. Seine Stiefschwestern und die Stiefmutter erkannten es nicht und meinten, es müsse eine fremde Königstochter sein. So schön sah es in dem goldenen und silbernen Kleid aus. An Aschenputtel dachten sie nicht, meinten sie doch, es säße daheim im Schmutz und suchte die Linsen aus der Asche.

Der Königssohn kam Aschenputtel entgegen, nahm es bei der Hand und tanzte mit ihm. Er wollte mit keiner anderen mehr tanzen. Und wenn ein anderer kam, um es aufzufordern, sagte er: »Das ist meine Tänzerin!«

Aschenputtel tanzte, bis es Abend war. Dann wollte es nach Hause gehen. Da sagte der Königssohn: »Ich begleite dich.« Denn er wollte sehen, zu wem das schöne Mädchen gehörte.

Aschenputtel entwischte ihm aber in das Taubenhaus. Nun wartete der Königssohn, bis der Vater kam, und sagte, das fremde Mädchen hätte sich im Taubenhaus versteckt. Der Alte dachte:»Sollte es Aschenputtel sein?«Und er ließ sich Axt und Hacken bringen, damit er das Taubenhaus entzweischlagen konnte. Aber es war niemand darin.

Als sie ins Haus kamen, brannte ein schwaches Öllämpchen und Aschenputtel lag wie sonst auch in der Asche. Es war nämlich schnell hinten aus dem Taubenhaus herausgesprungen und zu dem Haselnußbaum gelaufen. Dort hatte es die schönen Kleider ausgezogen und aufs Grab gelegt, und das Vögelchen hatte sie wieder weggenommen. Und dann hatte es sich in seinem grauen alten Lumpenkleid in der Küche in die Asche gelegt.

Am nächsten Tag, als das Fest von neuem begann und die Eltern und Stiefschwestern wieder fort waren, ging Aschenputtel zu dem Haselnußbaum und sagte:

>>Bäumchen, rüttel dich und schüttel dich,
wirf Gold und Silber über mich!<<

Da warf das Vögelchen ein noch viel prächtigeres Kleid herab als am Tag zuvor. Und als Aschenputtel mit dem Kleid auf dem Fest erschien, staunte jedermann über seine Schönheit. Der Königssohn aber, der auf Aschenputtel gewartet hatte, nahm es gleich bei der Hand und tanzte nur mit ihm allein. Wenn die anderen kamen und es aufforderten, sagte er: >>Das ist meine Tänzerin!<<

Als es nun Abend war, wollte Aschenputtel fort. Der Königssohn ging ihm nach, denn
er wollte sehen, in welches Haus es ginge. Aber Aschenputtel entwischte ihm in den
Garten hinter dem Haus. Dort stand ein schöner großer Baum, an dem die herrlichsten
Birnen hingen. Behend wie ein Eichhörnchen kletterte Aschenputtel hinauf und ver-
steckte sich zwischen den Ästen. Der Königssohn, der nicht wußte, wo Aschenputtel
war, wartete, bis der Vater kam, und sagte: »Das fremde Mädchen ist mir entwischt.
Ich glaube, es ist auf den Birnbaum geklettert.«
Der Vater dachte: »Sollte es Aschenputtel sein?« Er ließ sich eine Axt holen und fällte
den Baum. Aber es war niemand darauf. Und als sie in die Küche kamen, lag Aschen-
puttel da in der Asche wie sonst auch. Es war nämlich auf der anderen Seite vom
Baum herabgesprungen, hatte dem Vögelchen auf dem Haselnußbaum die schönen
Kleider zurückgebracht und sein graues altes Lumpenkleid wieder angezogen.

Am dritten Tag, als die Eltern und Stiefschwestern fort waren, ging Aschenputtel wieder zum Grab seiner Mutter und sagte zum Haselnußbaum:

>>Bäumchen, rüttel dich und schüttel dich,
wirf Gold und Silber über mich!<<

Da warf ihm das Vögelchen ein Kleid herab, das so prächtig und glänzend war, wie es noch keines zuvor gehabt hatte, und die Pantoffeln waren ganz golden. Als Aschenputtel zum Fest kam, wußten alle nicht, was sie vor Verwunderung sagen sollten. Der Königssohn tanzte ganz allein mit Aschenputtel, und wenn jemand es aufforderte, sagte er: >>Das ist meine Tänzerin!<<

Als es nun Abend war, wollte Aschenputtel fort, und der Königssohn wollte es begleiten. Aber Aschenputtel entwischte ihm so schnell, daß er nicht folgen konnte. Der Königssohn hatte aber eine List gebraucht und die ganze Treppe mit Pech bestreichen lassen. Und als Aschenputtel hinabsprang, blieb sein linker Pantoffel hängen. Der Königssohn hob ihn auf. Er war klein und zierlich und ganz golden.

Am nächsten Morgen ging er damit zu dem Vater und sagte: »Keine andere soll meine Gemahlin werden als die, an deren Fuß dieser goldene Schuh paßt.«
Da freuten sich die beiden Schwestern, denn sie hatten schöne Füße. Die älteste ging mit dem Schuh in ihr Zimmer und wollte ihn anprobieren, ihre Mutter stand dabei. Aber sie konnte mit der großen Zehe nicht hineinkommen. Der Schuh war ihr zu klein. Da gab ihr die Mutter ein Messer und sagte: »Hau die Zehe ab! Wenn du Königin bist, brauchst du nicht mehr zu Fuß zu gehen.«
Das Mädchen tat es, zwängte den Fuß in den Schuh, verbiß sich den Schmerz und ging hinaus zum Königssohn. Der nahm sie als seine Braut aufs Pferd und ritt mit ihr fort.

Sie mußten aber am Grab vorbei. Da saßen zwei Täubchen auf dem Haselnußbaum und riefen:

> »Rucke di gu, rucke di gu,
> Blut ist im Schuh:
> Der Schuh ist zu klein,
> die rechte Braut sitzt noch daheim.«

Der Königssohn blickte auf den Fuß des Mädchens und sah, wie das Blut herausquoll. Er wendete sein Pferd, brachte die falsche Braut wieder nach Hause und sagte, das wäre nicht die rechte. Die andere Schwester solle den Schuh anziehen.
Die andere Schwester ging in das Zimmer und kam mit den Zehen glücklich in den Schuh. Aber die Ferse war zu groß. Da gab ihr die Mutter ein Messer und sagte: »Hau ein Stück von der Ferse ab! Wenn du Königin bist, brauchst du nicht mehr zu Fuß zu gehen.«

Das Mädchen tat es, zwängte den Fuß in den Schuh, verbiß sich den Schmerz und ging hinaus zum Königssohn. Der nahm sie als seine Braut aufs Pferd und ritt mit ihr fort. Als sie an dem Haselnußbaum vorbeikamen, saßen die beiden Täubchen darauf und riefen:

> »Rucke di gu, rucke di gu,
> Blut ist im Schuh:
> Der Schuh ist zu klein,
> die rechte Braut sitzt noch daheim.«

Er blickte nieder auf ihren Fuß und sah, wie das Blut aus dem Schuh quoll und an den weißen Strümpfen ganz rot heraufgestiegen war. Da wendete er sein Pferd und brachte die falsche Braut nach Hause. »Das ist auch nicht die rechte«, sagte der Königssohn, »habt Ihr keine andere Tochter?« »Nein«, antwortete der Mann, »nur von meiner verstorbenen Frau ist noch ein kleines, häßliches Aschenputtel da. Das kann unmöglich die Braut sein.«

Der Königssohn sagte, er sollte es heraufschicken. Die Mutter aber antwortete:
»Ach nein, Aschenputtel ist viel zu schmutzig, es darf sich nicht sehen lassen.«
Jedoch der Königssohn bestand auf seinem Wunsch, und Aschenputtel mußte gerufen
werden. Da wusch es sich die Hände und das Gesicht, ging hin und verneigte sich vor
dem Königssohn, der ihm den goldenen Schuh reichte. Aschenputtel setzte sich auf
einen Hocker, zog den Fuß aus dem schweren Holzschuh und steckte ihn in den
Pantoffel, der wie angegossen saß. Und als es sich aufrichtete und der Königssohn
Aschenputtel ins Gesicht sah, erkannte er das schöne Mädchen, das mit ihm getanzt
hatte. Und er rief: »Das ist die rechte Braut!«
Die Stiefmutter und die beiden Schwestern erschraken und wurden bleich. Aber der
Prinz führte Aschenputtel fort und hob es in den Wagen. Und als sie durchs Tor
fuhren, da riefen die Tauben:

> »Rucke di gu, rucke di gu,
> kein Blut ist im Schuh:
> Der Schuh ist nicht zu klein,
> die rechte Braut, die führt er heim.«

Noch am selben Tag wurde die Hochzeit mit großer Pracht gefeiert. Das Volk
jubelte, und der König freute sich, Aschenputtel als Schwiegertochter zu bekommen.
Er sorgte auch dafür, daß die Stiefmutter und die Stiefschwestern ihre gerechte
Strafe erhielten.
Aschenputtel und der Prinz aber lebten glücklich und zufrieden bis zu ihrem Ende.

Hänsel
und Gretel

Am Rande eines dunklen Waldes wohnte ein armer Holzfäller mit seiner Frau und seinen beiden Kindern. Der Junge hieß Hänsel, und das Mädchen hieß Gretel. Die Leute waren so arm, daß selbst das tägliche Brot nicht für alle reichte. Eines Abends lag der Mann wach vor Sorgen im Bett und sagte zu seiner Frau: »Wie sollen wir nur unsere Kinder satt bekommen? Wir haben ja selbst nichts mehr zu essen.«

»Weißt du was«, antwortete die Frau, »wir werden die Kinder morgen früh in den Wald führen, dorthin, wo er am tiefsten ist. Dann geben wir beiden noch ein Stück Brot und schleichen uns davon. So werden wir sie los.«

»Nein, Frau«, sagte der Mann, »das bringe ich nicht übers Herz. Wie könnte ich meine Kinder allein im Wald lassen!«

»Du Narr!« antwortete die Frau. »Dann werden wir bald alle vier sterben.« Schweren Herzens willigte der Mann schließlich ein.

Hänsel und Gretel hatten vor Hunger nicht einschlafen können und alles mit angehört. Gretel weinte bitterlich.

»Nun ist es um uns geschehen«, sagte sie zu Hänsel.

»Still, Gretel«, antwortete Hänsel. »Hab keine Angst. Ich werde schon einen Weg finden.«

Als er sicher war, daß Vater und Mutter fest schliefen, stand er leise auf, zog seine
Hose an und schlich hinaus. Der Mond schien hell, und die weißen Kieselsteine auf
dem Boden glänzten wie Silber. Hänsel bückte sich rasch und sammelte soviel Steine
in seine Taschen, wie er nur fassen konnte. Dann ging er wieder ins Haus und sagte
zu Gretel: »Keine Angst, Schwesterchen. Der liebe Gott wird uns schon nicht im
Stich lassen.«
Bald war er fest eingeschlafen.
Am nächsten Morgen weckte die Frau die Kinder früh auf.
»Wir wollen in den Wald gehen und Holz holen«, sagte sie. Dann gab sie beiden ein
Stück Brot. »Aber eßt es nicht sofort«, fuhr sie fort. »Mehr gibt es nicht.«
Gretel nahm beide Brote unter ihre Schürze, denn Hänsel hatte die Taschen ja voller
Steine.

Bald darauf machten sie sich auf den Weg. Aber Hänsel blieb immer wieder stehen und blickte zurück zum Haus.

»Hänsel, was soll das«, schimpfte der Vater. »Warum guckst du immer zurück?«

»Ach Vater«, sagte Hänsel, »ich sehe nach meinem weißen Kätzchen. Es sitzt auf dem Dach und will mir ade sagen.«

»Unsinn«, antwortete die Frau. »Das ist nicht dein Kätzchen. Es ist die Morgensonne, die auf den Schornstein scheint.«

Aber Hänsel hatte gar nicht nach dem Kätzchen gesehen, sondern einen blanken Kieselstein nach dem anderen auf den Weg geworfen.

Als sie mitten im Wald waren, sagte der Vater: »Nun sammelt Holz, Kinder, damit ich euch ein Feuer machen kann und ihr nicht friert.«

Hänsel und Gretel trugen einen ganzen Berg Reisig zusammen. Als die Flammen hoch aufloderten, sagte die Frau: »Legt euch ans Feuer, Kinder, und ruht euch aus. Wir gehen tiefer in den Wald hinein und schlagen Holz. Wenn wir fertig sind, kommen wir zurück und holen euch ab.«

Hänsel und Gretel saßen am Feuer. Als es Mittag wurde, aßen sie ihr Brot. Und weil sie die Schläge einer Holzaxt hörten, glaubten sie, der Vater sei ganz in der Nähe. Aber das war keine Axt. Es war ein Ast, den der Vater an einen Baum gebunden hatte. Der schlug im Wind hin und her.

Endlich fielen den Kindern die Augen zu, und sie schliefen fest ein. Als sie wieder erwachten, war es dunkle Nacht. Gretel fing an zu weinen und fragte: »Wie sollen wir nur wieder aus dem Wald hinausfinden?«

Aber Hänsel tröstete sie. »Warte nur, bis der Mond aufgegangen ist. Dann werden wir den Weg schon finden«, versicherte er. Als der Mond hoch am Nachthimmel stand, nahm Hänsel seine Schwester an die Hand, und sie gingen den Kieselsteinen nach, die wie Silberstücke auf dem Weg glänzten. Als sie an die Haustür klopften, machte die Frau ihnen auf. Sie begann sofort zu schimpfen.

»Ihr bösen Kinder!« rief sie. »Warum seid ihr so lange im Wald geblieben! Wir haben schon geglaubt, ihr wolltet überhaupt nicht wiederkommen.«

Der Vater aber freute sich; denn es hatte ihm sehr leid getan, daß er die Kinder im Wald zurückgelassen hatte.

Nicht lange danach litten wieder alle großen Hunger, und Hänsel und Gretel hörten, wie die Mutter nachts im Bett zum Vater sagte: »Wir haben nur noch ein halbes Brot. Die Kinder müssen fort. Wir wollen sie diesmal noch tiefer in den Wald führen, damit sie den Weg nicht wieder hinausfinden; denn sonst gibt es keine Rettung für uns.«

Wieder wurde der Mann sehr traurig, und er hätte den letzten Bissen lieber mit den Kindern geteilt. Aber weil er das erstemal nachgegeben hatte, mußte er es auch jetzt tun.

Die Kinder hatten das ganze Gespräch mit angehört.

Als die Eltern schliefen, stand Hänsel auf und wollte wieder Kieselsteine sammeln. Aber die Frau hatte die Tür verriegelt, und er konnte nicht hinaus. Gretel begann zu weinen. Hänsel tröstete sie und sagte: »Weine nicht, Gretel. Der liebe Gott wird uns schon helfen.«

Am nächsten Morgen kam die Frau und holte die Kinder aus dem Bett. Wieder gab sie ihnen ein Stück Brot, aber es war noch kleiner als das erstemal. Auf dem Weg in den Wald zerbröckelte Hänsel seines in der Hosentasche. Immer wieder blieb er stehen und blickte zurück.

»Hänsel, was stehst du da und guckst dich um?« fragte der Vater. »Komm weiter!«

»Ich sehe nach meinem Täubchen. Das sitzt auf dem Dach und will mir ade sagen«, antwortete Hänsel.

»Unsinn«, sagte die Frau, »das ist nicht dein Täubchen. Es ist die Morgensonne, die auf den Schornstein scheint.«

In Wirklichkeit aber hatte Hänsel ein Brotstückchen nach dem anderen auf den Weg geworfen.

Die Frau führte die Kinder immer tiefer in den Wald hinein, so tief, wie sie noch nie gewesen waren.

Dann machten sie ein großes Feuer, und die Mutter sagte: »Bleibt ruhig hier sitzen, Kinder. Und wenn ihr müde seid, schlaft ein wenig. Wir gehen weiter in den Wald hinein und schlagen Holz. Heute abend, wenn wir fertig sind, holen wir euch ab.«

Als es Mittag wurde, teilte Gretel ihr Brot mit Hänsel, denn der hatte sein Stück ja auf den Weg gebröckelt. Dann schliefen sie ein. Sie erwachten erst, als es schon finstere Nacht war. Wieder tröstete Hänsel sein Schwesterchen. »Warte nur, bis der Mond aufgeht, Gretel. Dann werden wir die Brotstücke sehen, die ich auf den Boden gestreut habe. Die zeigen uns den Weg heim.«

Als der Mond aufgegangen war, wanderten sie los. Doch die Brotstückchen waren nicht mehr da, denn die Vögel hatten sie alle aufgepickt.

»Wir werden schon wieder nach Hause finden«, sagte Hänsel zu Gretel. Sie liefen die ganze Nacht und noch einen Tag vom Morgen bis zum Abend. Aber sie fanden nicht aus dem Wald heraus. Sie waren so hungrig und so müde, daß die Beine sie nicht mehr tragen wollten. So legten sie sich unter einen Baum und schliefen ein.

Am nächsten Morgen gingen sie weiter. Aber sie gerieten immer tiefer in den Wald hinein. Nun waren sie schon den dritten Tag von zu Hause fort. Wenn sie nicht bald etwas zu essen fanden, mußten sie verhungern.

Als es Mittag war, sahen sie einen schneeweißen Vogel auf einem Ast sitzen. Der sang so schön, daß sie stehenblieben und ihm zuhörten. Sobald er geendet hatte, schwang er sich in die Luft, flog vor ihnen her und führte sie zu einem Häuschen. Das war ganz aus Brot gebacken und mit Kuchen gedeckt. Und die Fenster waren aus hellem Zucker.

»Laß uns davon essen, Gretel«, sagte Hänsel. »Ich will ein Stück vom Dach nehmen, und du kannst vom Fenster essen. Das ist bestimmt süß.«

Er reckte sich in die Höhe, um ein wenig vom Dach abzubrechen, und Gretel knabberte an der Scheibe.

Da rief eine feine Stimme aus dem Haus:

> »Knusper, knusper, kneis'chen —
> wer knuspert an meinem Häuschen?«

Die Kinder antworteten:

> »Der Wind, der Wind,
> das himmlische Kind!«

und aßen weiter, ohne sich stören zu lassen. Hänsel riß ein großes Stück vom Dach herunter. Gretel stieß eine kleine Fensterscheibe heraus und ließ sie sich gut schmecken.

Da ging plötzlich die Tür auf, und eine uralte Frau kam heraus. Sie stützte sich auf einen krummen Stock. Hänsel und Gretel erschraken so fürchterlich, daß sie alles fallen ließen. Die Alte wackelte mit dem Kopf und sagte: »Ei, ihr lieben Kinderlein, wer hat euch denn hierher gebracht? Kommt nur herein und bleibt bei mir. Es soll euch kein Leid geschehen.« Sie faßte die beiden an der Hand und führte sie in ihr Häuschen. Dann setzte sie ihnen Milch und Pfannkuchen mit Zucker, Äpfeln und Nüssen vor. Anschließend bezog sie zwei schöne weiche Betten. Hänsel und Gretel legten sich hinein und träumten bald, sie wären im Himmel.

Aber die Alte tat nur so freundlich. In Wirklichkeit war sie eine böse Hexe. Sie
hatte das Brothaus gebaut, um die Kinder anzulocken. Bekam sie eines zu fassen,
machte sie es tot und aß es auf. Das war dann ein richtiger Festtag für sie.
Hexen haben rote Augen und können nicht weit sehen. Aber sie haben eine feine
Witterung, genau wie die Tiere, und sie merken schnell, wenn Menschen
herankommen. Als Hänsel und Gretel in ihre Nähe kamen, lächelte sie boshaft und
dachte: Die sollen mir nicht entkommen!

Am nächsten Morgen stand sie früh auf. Als sie die beiden so friedlich mit runden roten Wangen in ihren Betten schlafen sah, murmelte sie: »Das wird ein guter Bissen!«

Sie packte Hänsel mit ihren dürren Händen, trug ihn in einen kleinen Stall und sperrte ihn hinter Gitter. Er konnte schreien, soviel er wollte.

Dann ging sie zu Gretel, rüttelte sie wach und rief: »Steh auf, du Faulenzerin. Hol Wasser und koch deinem Bruder etwas Gutes. Er steckt draußen im Stall und soll fett werden. Wenn er schön dick ist, will ich ihn essen!«

Gretel fing bitterlich an zu weinen. Aber es war vergeblich. Sie mußte tun, was die böse Hexe verlangte.

Hänsel bekam das beste Essen, damit er zunahm. Gretel aber mußte bei Kartoffelschalen hungern. Jeden Morgen schlich die Alte zu dem Ställchen und rief: »Hänsel, streck deinen Finger heraus, damit ich fühle, ob du bald fett bist!« Hänsel aber steckte ein Knöchelchen durch die Stäbe. Die Alte, die nicht gut sehen konnte, merkte es nicht und glaubte, es wäre Hänsels Finger. Sie wunderte sich, daß Hänsel gar nicht fett wurde. Als vier Wochen herum waren und Hänsel immer noch mager blieb, wurde sie ungeduldig und wollte nicht länger warten.

»He, Gretel«, rief sie dem Mädchen zu. »Hol Wasser. Ganz gleich, ob Hänsel nun fett ist oder mager, ich will ihn morgen schlachten.«

Ach, wie jammerte die arme Schwester da und wie flossen ihr die Tränen die Wangen hinunter!

»Lieber Gott, hilf uns doch«, flehte sie. »Hätten uns nur die wilden Tiere im Wald gefressen, dann wären wir wenigstens zusammen gestorben!«

»Halt auf mit dem Gejammer«, sagte die Alte. »Das hilft dir auch nicht.«

Gretel mußte hinaus, den Kessel mit Wasser aufhängen und Feuer darunter
anzünden.
»Erst wollen wir backen«, sagte die Alte. »Ich hab' den Ofen schon angeheizt und
den Teig geknetet.« Sie stieß die arme Gretel zum Backofen, aus dem die Flammen
herausschlugen.
»Kriech hinein«, sagte die Hexe, »und sieh nach, ob er schon heiß genug ist und ich
das Brot hineinschieben kann.«

In Wirklichkeit wollte sie Gretel hineinstoßen, braten und anschließend auch aufessen. Aber Gretel merkte, was die böse Hexe vorhatte, und sagte: »Ich weiß nicht, wie ich das machen soll. Wie komme ich da hinein?«

»Dumme Gans«, sagte die Alte. »Die Öffnung ist doch so groß, daß ich selbst hineinpasse.« Sie kam heran und steckte den Kopf in den Backofen. Da gab Gretel ihr einen Stoß, und die Hexe fiel in den Ofen. Dann machte sie die eiserne Tür zu und schob den Riegel vor.

Hu, fing die Alte ganz schrecklich an zu heulen!

Gretel aber lief schnurstracks zu Hänsel, öffnete das Ställchen und rief: »Hänsel, wir sind gerettet. Die Hexe ist tot!«

Wie haben sie sich gefreut! Sie sind sich um den Hals gefallen, sind herumgesprungen und haben sich geküßt. Und weil sie nichts mehr zu befürchten hatten, gingen sie sogar in das Hexenhaus hinein. Da standen in allen Ecken Kästen mit Perlen und Edelsteinen.

»Die sind noch besser als Kieselsteine«, meinte Hänsel und steckte soviel in die Taschen, wie nur hineinpaßten.

»Ich will auch etwas mit nach Hause bringen«, sagte Gretel und füllte sich die Schürze voll.

»Aber jetzt wollen wir gehen«, sagte Hänsel, »damit wir rasch aus dem Hexenwald hinauskommen.«

Als sie ein paar Stunden gegangen waren, kamen sie an ein großes Wasser.

»Hier können wir nicht hinüber«, sagte Hänsel. »Ich sehe nirgendwo eine Brücke.«

»Hier fährt auch kein Schiff«, antwortete Gretel. »Aber dort schwimmt eine weiße Ente. Wenn ich die bitte, hilft sie uns gewiß hinüber.«

Und sie rief:

> »Entchen, Entchen,
> hier stehen Gretel und Hänsel.
> Kein Steg und keine Brücken,
> nimm uns auf deinen weißen Rücken.«

Die Ente kam herangeschwommen. Hänsel setzte sich auf ihren Rücken und bat sein Schwesterchen, sich zu ihm zu setzen.

»Nein«, sagte Gretel, »das wird dem Entchen zu schwer. Es soll uns nacheinander hinüberbringen.«

Und das tat das gute Tier. Als sie auf der anderen Seite waren und eine Weile weiterwanderten, kam ihnen der Wald immer bekannter vor. Endlich sahen sie das Haus ihrer Eltern. Da fingen sie an zu laufen, stürzten in die Stube und fielen dem Vater um den Hals.

Der Vater hatte keine frohe Stunde mehr gehabt, seitdem er die Kinder im Wald zurückgelassen hatte. Die Frau aber war inzwischen gestorben.

Gretel schüttelte ihre Schürze aus, daß die Perlen und Edelsteine nur so in der Stube herumsprangen, und Hänsel warf eine Handvoll nach der anderen aus seinen Taschen hinzu. Da waren ihre Sorgen vorüber, und sie lebten glücklich bis an ihr Lebensende.

Mein Märchen ist aus. Dort läuft eine Maus.
Wer sie fängt, darf sich eine große Pelzkappe daraus machen . . .

Rotkäppchen

Es war einmal eine kleine süße Dirne, die hatte jedermann
lieb, der sie nur ansah, am allerliebsten aber ihre Großmutter,
die wußte gar nicht, was sie alles dem Kinde geben sollte.

Einmal schenkte sie ihm ein Käppchen von rotem Sammet,
und weil ihm das so wohl stand und es nichts anderes mehr
tragen wollte, hieß es nur das Rotkäppchen.

Eines Tages sprach seine Mutter zu ihm: »Komm,
Rotkäppchen, da hast du ein Stück Kuchen und eine Flasche
Wein, bring das der Großmutter hinaus. Sie ist krank und
schwach und wird sich daran laben. Mach dich auf, bevor es
heiß wird, und wenn du hinauskommst, so geh hübsch sittsam
und lauf nicht vom Weg ab, sonst fällst du und zerbrichst das
Glas, und die Großmutter hat nichts. Und wenn du in ihre

Stube kommst, so vergiß nicht, guten Morgen zu sagen, und guck nicht erst in alle Ecken herum.«

»Ich will schon alles gut machen«, sagte Rotkäppchen zur Mutter und gab ihr die Hand darauf.

Die Großmutter aber wohnte draußen im Wald, eine halbe Stunde vom Dorf. Wie nun Rotkäppchen in den Wald kam, begegnete ihm der Wolf. Rotkäppchen aber wußte nicht, was das für ein böses Tier war, und fürchtete sich nicht vor ihm.

»Guten Tag, Rotkäppchen«, sprach er.

»Schönen Dank, Wolf«, sagte sie.

»Wo hinaus so früh, Rotkäppchen?«

»Zur Großmutter.«

»Was trägst du unter der Schürze?«

»Kuchen und Wein. Gestern haben wir gebacken, da soll sich die kranke und schwache Großmutter etwas zugute tun und sich damit stärken.«

»Rotkäppchen, wo wohnt deine Großmutter?«

»Noch eine gute Viertelstunde weiter im Wald, unter den drei großen Eichbäumen, da steht ihr Haus, unten sind die Nußhecken, das wirst du ja wissen«, sagte Rotkäppchen. Der Wolf dachte bei sich: »Das junge zarte Ding, das ist ein fetter Bissen, der wird noch besser schmecken als die Alte: du mußt es listig anfangen, damit du beide schnappst.«

Er ging ein Weilchen neben Rotkäppchen her, dann sprach er: »Rotkäppchen, sieh einmal die schönen Blumen, die ringsumher stehen, warum guckst du dich nicht um? Ich glaube, du hörst gar nicht, wie die Vöglein so lieblich singen? Du gehst ja für dich hin, als wenn du zur Schule gingst, und ist so lustig in dem Wald.«

Rotkäppchen schlug die Augen auf, und als es sah, wie die
Sonnenstrahlen durch die Bäume hin und her tanzten und alles
voll schöner Blumen stand, dachte es:
»Wenn ich der Großmutter einen frischen Strauß mitbringe,
der wird ihr auch Freude machen; es ist so früh am Tag, daß
ich doch zu rechter Zeit ankomme.«
Sie lief vom Wege ab in den Wald hinein und suchte Blumen.
Und wenn es eine gebrochen hatte, meinte es, weiter hinaus
stände eine schönere und lief dahin und geriet immer tiefer in
den Wald hinein.
Der Wolf aber ging geradeswegs nach dem Haus der Großmutter und klopfte an die Türe.
»Wer ist draußen?« fragte die Großmutter.
»Rotkäppchen, ich bringe Kuchen und Wein, mach auf.«
»Drück nur auf die Klinke«, rief die Großmutter, »ich bin zu
schwach und kann nicht aufstehen.«

Der Wolf drückte auf die Klinke, die Türe sprang auf, und er ging, ohne ein Wort zu sprechen, gerade zum Bett der Großmutter und verschluckte sie. Dann zog er ihre Kleider an, setzte ihre Haube auf, legte sich in ihr Bett und zog die Vorhänge vor.

Rotkäppchen aber war nach den Blumen herumgelaufen, und als es so viel zusammen hatte, daß es keine mehr tragen konnte, fiel ihm die Großmutter wieder ein, und es machte sich auf den Weg zu ihr.

Es wunderte sich, daß die Türe aufstand, und wie es in die Stube trat, so kam es ihm so seltsam darin vor, daß es dachte: »Ach, du mein Gott, wie ängstlich wird mir's heute zumut, und bin sonst so gerne bei der Großmutter!«

Es rief »Guten Morgen«, bekam aber keine Antwort. Darauf ging es zum Bett und zog die Vorhänge zurück: da lag die Großmutter und hatte die Haube tief ins Gesicht gesetzt und sah so wunderlich aus.

»Großmutter, was hast du für große Ohren!«

»Daß ich dich besser hören kann.«

»Großmutter, was hast du für große Augen!«

»Daß ich dich besser sehen kann.«

»Großmutter, was hast du für große Hände!«

»Daß ich dich besser packen kann.«

»Aber Großmutter, was hast du für ein entsetzlich großes Maul!«

»Daß ich dich besser fressen kann.«

Kaum hatte der Wolf das gesagt, so tat er einen Satz aus dem Bett und verschlang das arme Rotkäppchen.

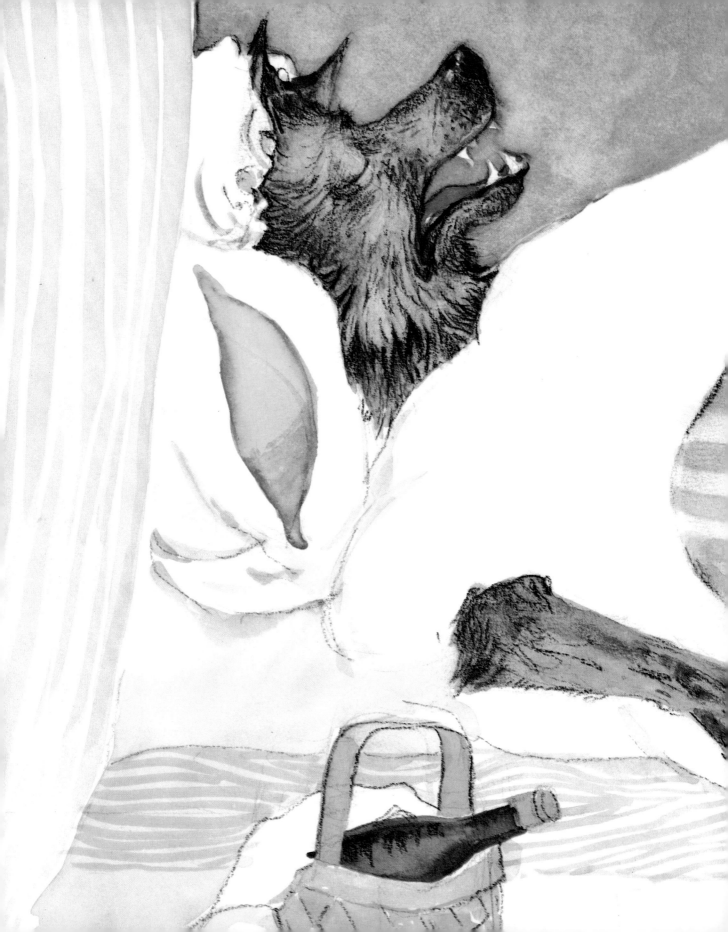

Vollgefressen wie er war, legte der Wolf sich wieder ins Bett, schlief ein und fing an, überlaut zu schnarchen.

Der Jäger ging eben an dem Haus vorbei und dachte: »Wie die alte Frau schnarcht, du mußt doch sehen, ob ihr etwas fehlt.«

Er trat in die Stube, und wie er vor dem Bett stand, so sah er, daß der Wolf darin lag.

»Finde ich dich hier, du alter Sünder«, sagte er, »ich habe dich lange gesucht.«

Er wollte gerade seine Büchse anlegen, als ihm einfiel, der Wolf könnte die Großmutter gefressen haben und sie wäre noch zu retten.

Er schoß nicht, sondern nahm eine Schere und fing an, dem schlafenden Wolf den Bauch aufzuschneiden. Wie er ein paar Schnitte getan hatte, sah er das rote Käppchen leuchten, und noch ein paar Schnitte, da sprang das Mädchen heraus und rief: »Ach, wie war ich erschrocken, wie

war's so dunkel in dem Wolf seinem Leib!«
Und dann kam die alte Großmutter auch
noch lebendig heraus und konnte kaum
atmen.

Rotkäppchen aber holte geschwind große Steine, damit füllte sie dem Wolf den Leib, und als er aufwachte, wollte er fortspringen, aber die Steine waren so schwer, daß er gleich niedersank und sich totfiel.

Da waren alle drei vergnügt. Der Jäger zog dem Wolf den Pelz ab und ging damit heim. Die Großmutter aß den Kuchen und trank den Wein, den Rotkäppchen gebracht hatte, und erholte sich wieder.

Rotkäppchen aber dachte: »Du willst dein Lebtag nicht wieder allein vom Wege ab in den Wald laufen, wenn dir's die Mutter verboten hat.«

Das tapfere Schneiderlein

An einem Sommermorgen saß ein Schneiderlein auf seinem Tisch am Fenster und nähte. Die Arbeit ging ihm gut von der Hand, und er war mit sich und der Welt zufrieden. Da kam eine Bauersfrau die Straße entlang und rief: »Süßes Mus zu verkaufen, süßes Mus zu verkaufen!«

Das hört sich gar nicht schlecht an, dachte das Schneiderlein, streckte seinen Kopf zum Fenster hinaus und sagte: »Hier herauf, liebe Frau, hier wird Sie Ihre Ware los!«

Nachdem die Frau mit ihren schweren Körben mühsam die Treppe zur Werkstatt hinaufgestiegen war, bat sie das Schneiderlein, alle Töpfe auszupacken. Dann betrachtete es jeden einzelnen aufmerksam, hob ihn hoch und roch daran. Schließlich meinte es: »Dieses Mus scheint mir gut zu sein.

Wiege Sie mir doch bitte vier Löffel davon ab. Es kann auch ein Viertelpfund sein. So genau soll es mir nicht darauf ankommen.«

Die Frau, die sich einen besseren Verkauf erhofft hatte, wog ihm die gewünschte Menge ab und machte sich ärgerlich wieder auf den Weg.

»Dieses Mus soll mir Kraft und Stärke geben«, rief das Schneiderlein, holte Brot aus dem Schrank, schnitt eine Scheibe ab und tat Mus darauf.

»Das wird mir schmecken!« sagte es. »Aber erst will ich die Jacke fertig nähen.« Es legte das Musbrot neben sich, nähte weiter und machte vor Freude immer größere Stiche.

Während das Schneiderlein arbeitete, lockte der süße Duft des Muses die vielen Fliegen an, die oben an der Wand saßen. Scharenweise ließen sie sich auf dem Musbrot nieder.

»Wer hat euch denn eingeladen?« fragte das Schneiderlein und verscheuchte die ungebetenen Gäste. Die Fliegen aber, die kein Deutsch verstanden, kamen in immer größerer Zahl wieder. Da riß dem Schneiderlein der Geduldsfaden.

»Euch will ich es zeigen!« rief es, nahm einen Lappen und schlug mitleidslos zu. Und siehe da: es lagen nicht weniger als sieben Fliegen tot vor ihm!

»Was bin ich nur für ein Kerl!« sagte der Schneider und mußte sich selbst über seine Tapferkeit wundern. »Von dieser Tat soll die ganze Stadt erfahren!«

Und in Windeseile schnitt er einen Gürtel zu, nähte ihn zusammen und stickte mit großen Buchstaben darauf: SIEBEN AUF EINEN STREICH!

»Ach was, die Stadt«, fuhr er fort, »die ganze Welt soll davon erfahren!«
Und bei diesem Gedanken hüpfte sein Herz vor Freude.

Als der Gürtel fertig war, schnallte der Schneider ihn um und wollte in die
weite Welt wandern, denn er fand, daß das Schneiderhandwerk für einen
Helden wie ihn nicht mehr das richtige sei. Bevor er aufbrach, durchsuchte er
das Haus nach Dingen, die er auf seiner Wanderschaft gebrauchen könnte. Er
fand aber nur einen alten Käse, und den steckte er ein. Vor dem Tor bemerkte
er einen Vogel, der sich im Gesträuch verfangen hatte. Der mußte zu dem
Käse in die Tasche.

Dann machte sich das Schneiderlein auf den Weg, und weil es leicht und beweglich war, verspürte es keine Müdigkeit. So gelangte es auf einen Berg, auf dessen höchstem Gipfel ein gewaltiger Riese saß und behaglich die Gegend betrachtete. Das Schneiderlein schritt mutig auf ihn zu und sagte:

»Guten Tag, Kamerad! Wie ich sehe, sitzt du da und betrachtest die weite Welt. Ich möchte sie kennenlernen und bin deshalb auf Wanderschaft. Hast du nicht Lust, mitzukommen?«

Der Riese sah den Schneider verächtlich an und antwortete: »Du Lump! Du miserabler Kerl!«

Da knöpfte der Schneider seine Jacke auf und zeigte dem Riesen den Gürtel.

»Hier kannst du lesen, was ich für einer bin«, sagte er.

Der Riese las: SIEBEN AUF EINEN STREICH! Und er glaubte, es wären Menschen gewesen, die der Schneider erschlagen hätte. Da bekam er etwas Respekt vor dem kleinen Burschen. Doch wollte er ihn erst prüfen.

Er nahm einen Stein in die Hand und drückte ihn so stark zusammen, daß das Wasser heraustropfte.

»Mach es mir nach«, sagte er zum Schneiderlein, »wenn du genug Kraft hast.«

»Wenn es weiter nichts ist!« antwortete der Schneider, »für mich ist das ein Kinderspiel!« Dabei griff er in die Tasche, holte den alten Käse heraus und drückte ihn zusammen, daß der Saft herauslief.

»Nun«, fragte er, »war das nicht ein wenig besser?«

Der Riese wußte nicht, was er dazu sagen sollte. Er konnte es einfach nicht glauben. Er nahm wieder einen Stein und warf ihn so hoch in die Luft, daß man ihn kaum noch sehen konnte.

»So, du kleiner Wicht«, sagte er, »jetzt bist du dran!«

»Gut geworfen«, erwiderte der Schneider, »aber der Stein ist doch wieder auf die Erde gefallen. Ich werde einen werfen, der nicht wiederkommt!«

Er griff in die Tasche, holte den Vogel heraus und warf ihn in die Luft. Der Vogel, froh über seine Freiheit, stieg auf, flog höher und höher und kam nicht wieder.

»Was sagst du jetzt, Kamerad?« fragte der Schneider.

»Werfen kannst du«, antwortete der Riese. »aber jetzt wollen wir sehen, ob du auch kräftig genug bist, eine schwere Last zu tragen.« Er führte das Schneiderlein zu einer mächtigen Eiche, die gefällt auf dem Boden lag. »Wenn du kannst, dann hilf mir, den Baum aus dem Wald herauszutragen.«

»Gern«, sagte der kleine Bursche. »Nimm du nur den Stamm auf deine Schulter, ich werde das Astwerk tragen, das ist schließlich das schwerste.«

Der Riese nahm den Stamm auf die Schulter, der Schneider aber setzte sich auf einen Ast. Und der Riese, der sich nicht umsehen konnte, mußte den ganzen Baum und das Schneiderlein obendrein tragen. Der Schneider aber tat, als ob Baumtragen kinderleicht wäre, und pfiff das Liedchen: »Es ritten drei Schneider zum Tore hinaus.«

Nachdem der Riese die schwere Last eine Weile geschleppt hatte, rief er: »Paß auf, ich muß den Baum fallen lassen!«

Schnell wie der Blitz sprang der Schneider herab, faßte den Baum mit beiden Armen, als wenn er ihn die ganze Zeit getragen hätte, und antwortete: »Du bist so ein großer Kerl und kannst nicht einmal diesen Baum tragen!«

Sie gingen zusammen weiter, und als sie an einem Kirschbaum vorbeikamen, faßte der Riese die Krone des Baumes, bog sie herunter, gab sie dem Schneider zum Halten und forderte ihn auf, von den reifen Früchten zu essen.

Das Schneiderlein war aber viel zu schwach, um den Baum zu halten. Und als der Riese losließ, wurde er mit großer Wucht durch die Luft geschleudert. Er landete aber wieder sicher auf den Füßen, ohne sich etwas zu tun.

»Hast du nicht einmal Kraft genug, um dieses Bäumchen zu halten?« fragte der Riese.

»An Kraft fehlt es nicht«, antwortete das Schneiderlein. »Meinst du etwa, dies wäre die richtige Kraftprobe für einen, der sieben auf einen Streich erschlagen hat? Ich bin nur über den Baum gesprungen, weil die Jäger unten in das Gebüsch schießen. Mach mir diesen Sprung nach, wenn du kannst!«

Der Riese versuchte über den Baum zu springen, schaffte es aber nicht, sondern blieb in den Ästen hängen. Wieder war er vom Schneiderlein überlistet worden!

»Wenn du wirklich so ein tapferer Kerl bist«, sagte der Riese, »dann komm mit in unsere Höhle und übernachte bei uns.«

Das Schneiderlein hatte nichts dagegen und folgte dem Riesen. Als die beiden in der Höhle ankamen, saßen da noch andere Riesen an einem Feuer, und jeder hatte ein gebratenes Schaf in der Hand und aß davon.

Das Schneiderlein sah sich um und dachte: Hier ist doch alles viel geräumiger als in meiner Werkstatt.

Der Riese zeigte ihm ein Bett, in dem er schlafen konnte, und riet ihm, sich hinzulegen und auszuschlafen. Dem Schneiderlein war das Bett aber viel zu groß. Es legte sich nicht hinein, sondern kroch in eine Ecke der Höhle.

Als es Mitternacht war, meinte der Riese, das Schneiderlein läge in tiefem Schlaf. Leise stand er auf, nahm eine dicke Eisenstange und schlug damit das Bett des Schneiders mit einem Schlag durch. »Jetzt ist es aus mit dir, du Wicht!« sagte er.

Am nächsten Morgen gingen die Riesen sehr früh in den Wald und hatten das Schneiderlein schon ganz vergessen. Da kam es plötzlich lustig und ohne jede Angst daherspaziert. Die Riesen erschraken fürchterlich, und weil sie meinten, das Schneiderlein würde sie nun alle totschlagen, liefen sie Hals über Kopf davon.

Das Schneiderlein aber zog weiter seines Weges, immer seiner spitzen Nase nach. Nachdem es lange gewandert war, gelangte es zu einem königlichen Palast. Und da es müde war, legte es sich im Palasthof ins Gras und schlief ein.

Während das Schneiderlein schlief, kamen die Hofleute, betrachteten es von allen Seiten und lasen auf dem Gürtel: SIEBEN AUF EINEN STREICH!

»Was will ein so großer Kriegsheld hier mitten im Frieden?« fragten die Leute erstaunt. »Das muß ein mächtiger Herr sein!« Und sie gingen zum König, meldeten ihm die Ankunft eines tapferen Kriegers und rieten ihm, den Mann für den Fall eines Krieges in Dienst zu nehmen. Es wäre jammerschade, solch einen Helden wieder fortziehen zu lassen!

Dem König gefiel der Rat, und er schickte einen Abgesandten zum Schneiderlein. Der sollte ihm, sobald er aufgewacht wäre, die Kriegsdienste anbieten.

Der Abgesandte blieb neben dem Schläfer stehen, wartete, bis er sich streckte und die Augen aufschlug, und überbrachte ihm dann das Angebot des Königs.

»Aber deshalb bin ich ja hier«, antwortete das Schneiderlein und war sofort bereit, in den Dienst des Königs zu treten. So wurde es in Ehren aufgenommen und bekam eine besondere Wohnung zugewiesen.

Des Königs Soldaten aber wünschten, sie hätten das Schneiderlein nie gesehen. »Was machen wir bloß, wenn wir Streit mit ihm bekommen? Wenn dieser Mann zuschlägt, fallen sieben auf jeden Streich. Dagegen kommen wir nicht an!« So sprachen sie untereinander, und schließlich faßten sie einen Entschluß. So gingen alle zusammen zum König und baten um ihren Abschied. »Wir können es nicht neben einem Mann aushalten, der sieben auf einen Streich erschlägt!« sagten sie.

Der König, der nicht alle seine treuen Männer verlieren wollte, wäre das Schneiderlein jetzt gern wieder losgeworden. Aber er traute sich nicht, ihm den Abschied zu geben, fürchtete er doch, das Schneiderlein würde ihn und sein Volk totschlagen und sich dann selbst auf den Thron setzen. Lange dachte er drüber nach, was er tun sollte. Endlich kam ihm ein Gedanke. Er schickte einen Diener zum Schneiderlein und ließ ihm sagen, daß er für einen so großen Kriegshelden wie ihn eine ganz besondere Aufgabe habe. In einem Wald seines Landes hausten zwei Riesen, die mit Rauben, Morden, Sengen und Brennen großen Schaden anrichteten. Niemand könne sich ihnen ohne Lebensgefahr nähern. Wenn es dem Schneiderlein gelänge, diese beiden Riesen zu überwinden und zu töten, wolle der König ihm zur Belohnung seine einzige Tochter zur Frau und dazu das halbe Königreich geben. Außerdem sollten hundert Reiter den Schneider begleiten, um ihn im Kampf mit den Riesen zu unterstützen.

Das ist etwas für einen Mann, wie ich es bin! dachte das Schneiderlein. Eine schöne Königstochter und ein halbes Königreich werden einem nicht alle Tage angeboten.

Und es sagte zum Boten des Königs: »Diese Aufgabe will ich gern
übernehmen, aber die hundert Reiter brauche ich nicht. Wer sieben auf einen
Streich erschlägt, hat vor zweien überhaupt keine Angst!«

Dann zog das Schneiderlein los, und die hundert Reiter folgten ihm. Als sie
den Waldrand erreicht hatten, sagte der Schneider zu seinen Begleitern:
»Wartet hier auf mich, mit den Riesen werde ich schon allein fertig!«

Er lief in den Wald hinein und sah sich suchend nach allen Seiten um. Nach einer Weile fand er die beiden Riesen. Sie lagen schlafend unter einem Baum und schnarchten so laut, daß sich die Äste bogen. Das Schneiderlein füllte seine beiden Taschen mit Steinen und kletterte auf den Baum, unter dem die Riesen lagen. Es setzte sich auf einen dicken Ast über den Schläfern und ließ einen Stein nach dem anderen auf die Brust des einen Riesen fallen. Es dauerte lange, bis der Riese etwas merkte und davon aufwachte. Er stieß seinen Kumpan an und fragte: »Warum schlägst du mich?«

»Du träumst«, antwortete der andere, »ich schlage dich nicht!«

Und beide legten sich wieder zum Schlafen hin. Da warf der Schneider einen Stein auf den zweiten Riesen hinab.

»Was soll das?« rief der zweite Riese, »warum wirfst du mit Steinen nach mir?«

»Du träumst«, antwortete der erste Riese, »ich werfe nicht mit Steinen nach dir!«

Sie zankten sich noch eine ganze Weile. Da sie aber müde waren, fielen ihnen die Augen bald wieder zu. Da fing der Schneider das Spiel von neuem an, nahm den dicksten Stein und warf ihn dem ersten Riesen mit aller Gewalt auf die Brust.

»Jetzt reicht es mir!« schrie der Getroffene, sprang auf und fiel wie ein Wilder über den anderen Riesen her. Dieser zahlte mit gleicher Münze zurück, und beide gerieten in eine solche Wut, daß sie Bäume ausrissen und aufeinander losschlugen. Und sie ließen nicht eher voneinander, als bis sie beide tot auf der Erde lagen.

Nun sprang das Schneiderlein von seinem Ast herab.

»Ein Glück«, sagte es, »daß sie den Baum, auf dem ich saß, nicht auch ausgerissen haben. Sonst hätte ich wie ein Eichhörnchen auf einen anderen springen müssen.«

Es zog sein Schwert und versetzt jedem Riesen ein paar kräftige Schläge auf die Brust. Dann ging es zum Waldesrand, wo die Reiter gewartet hatten, und sagte: »Die Arbeit ist getan. Beide Riesen sind tot. Aber es ist hart hergegangen, denn sie haben im Kampf Bäume ausgerissen und sich damit gewehrt. Aber das hilft alles nichts, wenn einer wie ich kommt, der sieben auf einen Streich erschlagen kann!«

»Seid ihr denn nicht verwundet?« fragten die Reiter erstaunt.

»Kein Haar konnten sie mir krümmen«, erwiderte das Schneiderlein.

Die Reiter wollten ihm jedoch keinen rechten Glauben schenken. Sie ritten in den Wald – und richtig, da lagen die toten Riesen in ihrem Blut zwischen den ausgerissenen Bäumen.

Nun wollte das Schneiderlein vom König die versprochene Belohnung haben.

Aber dem König tat sein Versprechen schon leid, und er überlegte, wie er sich das Schneiderlein vom Hals schaffen könnte.

»Bevor ich dir meine Tochter und das halbe Königreich gebe«, sagte er zum Schneiderlein, »mußt du noch eine Heldentat vollbringen. Im Wald gibt es ein Einhorn, das großen Schaden anrichtet. Du mußt es einfangen!«

»Vor einem Einhorn fürchte ich mich noch weniger als vor zwei Riesen«, antwortete das Schneiderlein. »Sieben auf einen Streich, das ist eine Sache für mich!«

Der Schneider nahm einen Strick und eine Axt und ging damit hinaus in den Wald. Wieder sagte er zu seinen Begleitern, sie sollten am Waldrand auf ihn warten. Diesmal brauchte er nicht lange zu suchen. Das Einhorn kam auf ihn zugerast und wollte ihn ohne alle Umstände aufspießen.

»Immer mit der Ruhe«, sagte das Schneiderlein. »So schnell geht das nicht.«

Es blieb stehen und wartete, bis das Tier ganz nah herangekommen war. Dann sprang es blitzschnell hinter einen Baum. Das Einhorn aber rannte mit aller Kraft gegen den Baum und bohrte dabei sein Horn so tief in den Stamm, daß es fest darin steckenblieb.

»Jetzt hab' ich dich«, sagte der Schneider, kam hinter dem Baum hervor und legte dem Einhorn den Strick um den Hals. Dann griff er zur Axt und schlug so lange auf den Stamm ein, bis das Horn frei war.

Als er damit fertig war, führte er das Tier ab und brachte es zum König.

Der König aber wollte ihm die versprochene Belohnung noch immer nicht geben und stellte eine dritte Forderung. Vor der Hochzeit sollte ihm das Schneiderlein noch ein Wildschwein fangen, das im Wald großen Schaden anrichtete. Die Jäger sollten ihm dabei helfen.

»Gern«, sagte das Schneiderlein, »das ist nun wirklich ein Kinderspiel für mich!« Die Jäger nahm es gar nicht mit in den Wald, und diese waren auch nicht traurig darüber, denn das Wildschwein hatte sie schon einige Male angegriffen. Sie verspürten nicht die geringste Lust, es wiederzusehen.

Als das Schwein den Schneider erblickte, lief es auf ihn zu und wollte ihn zur
Erde werfen. Das Schneiderlein aber flüchtete in eine Kapelle, die in der Nähe
war, und von dort mit einem Satz wieder zum Fenster hinaus. Das Schwein
raste hinter ihm her in die Kapelle. Im Nu war der Schneider um die Kapelle
herum und schlug die Tür zu. Jetzt war das Schwein gefangen, denn es war viel
zu dick und unbeweglich, um durch das Fenster zu springen.

Da rief der Schneider die Jäger, die mit eigenen Augen den Gefangenen
sehen sollten. Das Schneiderlein aber begab sich zum König, der ihm jetzt wohl
oder übel seine Tochter und das halbe Königreich geben mußte. Hätte der
König gewußt, daß kein Kriegsheld, sondern nur ein einfaches Schneiderlein
vor ihm stand, es wäre ihm noch mehr zu Herzen gegangen.

Nun endlich konnte die Hochzeit stattfinden. Sie wurde mit großer Pracht und kleiner Freude begangen. Aus dem Schneiderlein war ein König geworden.

Nach einiger Zeit hörte die junge Königin in der Nacht, wie ihr Gemahl im Traum sagte: »Junge, näh mir die Jacke und flick mir die Hosen, sonst schlag' ich dir die Elle um die Ohren!«

Da merkte die junge Frau, in welcher Gasse der junge König geboren war.

Am nächsten Morgen klagte sie dem Vater ihr Leid und bat ihn, sie von einem Mann zu befreien, der nichts anderes als ein Schneider wäre.

Der König tröstete seine Tochter und sagte: »Laß heute nacht dein Schlafgemach offen. Wenn dein Mann eingeschlafen ist, sollen meine Diener ihn fesseln und auf ein Schiff tragen, das ihn in die weite Welt bringen wird.«

Die junge Königin war mit dem Vorschlag einverstanden. Des Königs Waffenträger aber, der es gut mit dem Schneiderlein meinte, hatte alles mitangehört und berichtete dem jungen König davon.

»Dem Ding will ich einen Riegel vorschieben«, sagte der Schneider.

Um die Schlafenszeit legten er und die junge Königin sich wie gewöhnlich zur Ruhe nieder. Als die Königin dachte, ihr Mann sei eingeschlafen, stand sie auf, öffnete die Tür und legte sich wieder hin.

Das Schneiderlein aber, das nur so tat, als ob es schliefe, begann mit heller Stimme zu rufen: »Junge, näh mir die Jacke und flick mir die Hosen, sonst schlag' ich dir die Elle um die Ohren! Ich habe sieben auf einen Streich erschlagen, zwei Riesen getötet, ein Einhorn überwältigt und ein Wildschwein gefangen und sollte mich vor denen fürchten, die draußen vor der Tür stehen?«

Als die Diener den Schneider so sprechen hörten, überfiel sie Angst und Schrecken, und sie liefen davon, als ob ein ganzes Heer hinter ihnen her wäre. Keiner hatte mehr den Mut, dem Schneiderlein auch nur ein Haar zu krümmen. Und so blieb es zeit seines Lebens König.

Dornröschen

Vorzeiten waren ein König und eine Königin, die sprachen
jeden Tag: »Ach, wenn wir doch ein Kind hätten!«, und
kriegten immer keins.

Da trug sich zu, als die Königin einmal im Bade saß, daß ein
Frosch aus dem Wasser ans Land kroch und zu ihr sprach:
»Dein Wunsch wird erfüllt werden. Ehe ein Jahr vergeht, wirst
du eine Tochter zur Welt bringen.«

Was der Frosch gesagt hatte, das geschah, und die Königin
gebar ein Mädchen, das war so schön, daß der König vor
Freude sich nicht zu lassen wußte und ein großes Fest
ausrichtete. Er lud nicht bloß seine Verwandte, Freunde und
Bekannte, sondern auch die weisen Frauen dazu ein, damit sie
dem Kind hold und gewogen wären. Es waren ihrer dreizehn
in seinem Reiche, weil er aber nur zwölf goldene Teller hatte,
von welchen sie essen sollten, so mußte eine von ihnen daheim
bleiben.

Das Fest wurde mit aller Pracht gefeiert, und als es zu Ende
war, beschenkten die weisen Frauen das Kind mit ihren
Wundergaben: die eine mit Tugend, die andere mit Schönheit,
die dritte mit Reichtum, und so mit allem, was auf der Welt
zu wünschen ist.

Als elf ihre Sprüche eben getan hatten, trat plötzlich die Dreizehnte herein. Sie wollte sich dafür rächen, daß sie nicht eingeladen war, und ohne jemand zu grüßen oder nur anzusehen, rief sie mit lauter Stimme: »Die Königstochter soll sich in ihrem fünfzehnten Jahr an einer Spindel stechen und tot hinfallen.« Und ohne ein Wort weiter zu sprechen, drehte sie sich um und verließ den Saal.

Alle waren erschrocken. Aber da trat die Zwölfte hervor, die
ihren Wunsch noch übrig hatte, und weil sie den bösen Spruch
nicht aufheben, sondern nur mildern konnte, so sagte sie: »Es
soll aber kein Tod sein, sondern ein hundertjähriger tiefer
Schlaf, in welchen die Königstochter fällt.«

Der König, der sein liebes Kind vor dem Unglück gern
bewahren wollte, ließ den Befehl ausgehen, daß alle Spindeln
im ganzen Königreich sollten verbrannt werden.

An dem Mädchen aber wurden die Gaben der weisen Frauen sämtlich erfüllt, denn es war so schön, sittsam, freundlich und verständig, daß es jedermann, der es ansah, liebhaben mußte. Es geschah, daß an dem Tage, wo es gerade fünfzehn Jahr alt wurde, der König und die Königin nicht zu Haus waren und das Mädchen ganz allein im Schloß zurückblieb. Da ging es allerorten herum, besah Stuben und Kammern, wie es Lust hatte, und kam endlich auch an einen alten Turm. Es stieg die enge Wendeltreppe hinauf und gelangte zu einer kleinen Tür. In dem Schloß steckte ein verrosteter Schlüssel, und als es ihn umdrehte, sprang die Tür auf, und da saß in einem kleinen Stübchen eine alte Frau mit einer Spindel und spann emsig ihren Flachs.

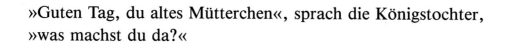

»Guten Tag, du altes Mütterchen«, sprach die Königstochter,
»was machst du da?«

»Ich spinne«, sagte die Alte und nickte mit dem Kopf.
»Was ist das für ein Ding, das so lustig herumspringt?« sprach
das Mädchen, nahm die Spindel und wollte auch spinnen.
Kaum hatte es aber die Spindel angerührt, so ging der
Zauberspruch in Erfüllung, und es stach sich damit in den
Finger.
In dem Augenblick aber, wo es den Stich empfand, fiel es auf
das Bett nieder und lag in einem tiefen Schlaf. Und dieser
Schlaf verbreitete sich über das ganze Schloß.

Der König und die Königin, die eben heimgekommen und in den Saal getreten waren, fingen an einzuschlafen, und der ganze Hofstaat mit ihnen. Da schliefen auch die Pferde im Stall, die Hunde im Hofe, die Tauben auf dem Dache, die Fliegen an der Wand. Ja, das Feuer, das auf dem Herde

flackerte, wurde still und schlief ein. Der Braten hörte auf zu brutzeln, und der Koch, der den Küchenjungen, weil er etwas versehen hatte, an den Haaren ziehen wollte, ließ ihn los und schlief. Und der Wind legte sich, und auf den Bäumen vor dem Schloß regte sich kein Blättchen mehr.

Rings um das Schloß aber begann eine Dornenhecke zu wachsen, die jedes Jahr höher wurde und endlich das ganze Schloß umzog und darüber hinaus wuchs, daß gar nichts mehr davon zu sehen war, selbst nicht die Fahne auf dem Dach. Es ging aber die Sage in dem Land von dem schönen schlafenden Dornröschen, denn so wurde die Königstochter genannt, so daß von Zeit zu Zeit Königssöhne kamen und durch die Hecke in das Schloß dringen wollten. Es war ihnen aber nicht möglich, denn die Dornen, als hätten sie Hände, hielten fest zusammen.

Nach langen, langen Jahren kam wieder einmal ein Königssohn in das Land und hörte, wie ein alter Mann von der Dornenhecke erzählte, es sollte ein Schloß dahinter stehen, in welchem eine wunderschöne Königstochter, Dornröschen genannt, schon seit hundert Jahren schliefe, und mit ihr schliefe der König und die Königin und der ganze Hofstaat. Er wußte auch von seinem Großvater, daß schon viele Königssöhne gekommen wären und versucht hätten, durch die Dornenhecke zu dringen, aber sie wären darin hängengeblieben und eines traurigen Todes gestorben. Da sprach der Jüngling: »Ich fürchte mich nicht, ich will hinaus und das schöne Dornröschen sehen.«

Der gute Alte mochte ihm abraten, wie er wollte, er hörte nicht auf seine Worte.

Nun waren aber gerade die hundert Jahre verflossen, und der Tag war gekommen, wo Dornröschen wieder erwachen sollte. Als der Königssohn sich der Dornenhecke näherte, waren es lauter große schöne Blumen, die taten sich von selbst auseinander und ließen ihn unbeschädigt hindurch, und hinter ihm schlossen sie sich wieder als eine Hecke zusammen.

Im Schloßhof sah er die Pferde und scheckigen Jagdhunde liegen und schlafen. Auf dem Dache saßen die Tauben und hatten das Köpfchen unter den Flügel gesteckt.

Und als er ins Haus kam, schliefen die Fliegen an der Wand,
der Koch in der Küche hielt noch die Hand, als wollte er den
Jungen anpacken. Die Magd saß vor dem schwarzen Huhn,
das sollte gerupft werden. Er ging weiter und sah im Saale den
ganzen Hofstaat liegen und schlafen, und oben bei dem
Throne lagen der König und die Königin.
Er ging immer weiter, und alles war so still, daß einer seinen
Atem hören konnte, und endlich kam er zu dem Turm und
öffnete die Türe zu der kleinen Stube, in der Dornröschen

schlief. Da lag es und war so schön, daß er die Augen nicht
abwenden konnte, und er bückte sich und gab ihm einen Kuß.
Wie er es mit dem Kuß berührt hatte, schlug Dornröschen die
Augen auf, erwachte und blickte ihn ganz freundlich an.

Dann gingen sie zusammen herab. Der König erwachte und
die Königin und der ganze Hofstaat und sahen einander mit
großen Augen an. Und die Pferde im Hof standen auf und

rüttelten sich. Die Jagdhunde sprangen und wedelten.
Die Tauben auf dem Dache zogen das Köpfchen unterm Flügel
hervor, sahen umher und flogen ins Feld. Die Fliegen an den

Wänden krochen weiter. Das Feuer in der Küche erhob sich, flackerte und kochte das Essen. Der Braten fing wieder an zu brutzeln. Der Koch gab dem Jungen eine Ohrfeige, daß er schrie. Die Magd rupfte das Huhn fertig.

Und die Hochzeit des Königssohns mit dem Dornröschen wurde in aller Pracht gefeiert, und sie lebten vergnügt bis an ihr Ende.